nivel **B1** audiolibro **colección grande**

# Lorca

## LA VALIENTE
## ALEGRÍA

**COLECCIÓN GRANDES PERSONAJES**

**Autora**: Aroa Moreno
**Coordinación editorial**: Clara de la Flor
**Supervisión pedagógica**: Emilia Conejo
**Glosario y actividades**: Emilia Conejo
**Diseño y maquetación**: rosacasirojo
**Corrección**: Rebeca Julio
**Ilustración de portada**: Joan Sanz
**Fotografías**:
© FFGL (Fundación Federico García Lorca), Madrid, 2011
© Filmoteca Española, Madrid, 2011
© Aroa Moreno
**Locución**: Cristina Carrasco

© Difusión, Centro de Investigación y Publicaciones de Idiomas, S.L., 2011
ISBN: 978-84-8443-737-6
Depósito legal: B-5473-2011
Impreso en España por T. G. Soler
www.difusion.com

# Índice

**Federico García Lorca en Granada (1919)** / FFGL

# Federico García Lorca

*Poeta*

*«En la bandera de la libertad bordé
el amor más grande de mi vida»*

# 1. El niño Federico

«La música es arte por naturaleza»

Federico García Lorca nació en Fuentevaqueros, un pueblecito a pocos kilómetros de la ciudad andaluza de Granada, en 1898. Ese año, España perdió Cuba, una de sus grandes colonias. En el país, reinaba por ello un clima de profundo pesimismo.

Hijo de Vicenta Lorca, maestra[1], y Federico García, dueño de algunas plantaciones de tabaco y remolacha[2], Federico era el mayor de cuatro hermanos. Después de él nacieron Francisco, Concha e Isabel. Ya de pequeño, Federico demostró ser muy hábil[3] para aprender canciones populares. Sin embargo, era un niño débil y no aprendió a caminar hasta los cuatro años. No fue un buen estudiante, pero leyó desde muy pequeño a clásicos como Víctor Hugo o Miguel de Cervantes. Para entretener[4] a su familia y a las visitas representaba pequeñas obras teatrales cuyos escenarios[5] pintaba él mismo. Aún hoy, en la casa de Lorca se pueden ver estos escenarios.

En su adolescencia, Federico se mudó con su familia a Granada. Le afectó mucho el traslado del campo a la ciudad, y en 1916, cuando comenzaba a interesarse por la literatura, escribió

---

GLOSARIO

[1] **maestro**: profesor de escuela primaria [2] **remolacha**: planta de la que se extrae el azúcar
[3] **hábil**: con talento, con destreza [4] **entretener**: divertir [5] **escenario**: lugar donde se representa la obra en un teatro

un largo ensayo que recordaba aquella casa y aquel pueblecito de su infancia: «El pueblo está rodeado de chopos[6] que ríen, cantan y son palacios de pájaros (…). En verano, el olor es de paja[7] por las noches, con la luna, las estrellas y los rosales[8] en flor[9], forma una esencia divina que hace pensar en el espíritu que la formó». La vida en Granada significó la ruptura con el campo: «Hoy de niño campesino[10] me he convertido en señorito[11] de ciudad». En aquella época escribió mucho sobre su vida: sobre los días en la escuela, los juegos con sus amigos o el ambiente que había en su casa. Por entonces, ya era sensible a las desigualdades sociales. En estos textos, Lorca, que había crecido en una familia acomodada[12], reflexionaba sobre las condiciones de vida y los derechos de la gente del campo y de los sirvientes[13] que lo rodeaban.

Ya en aquella época, a Federico le fascinaba el teatro, pero su auténtica pasión era el piano, que estudiaba con entusiasmo. De hecho, los estudiantes de Granada lo conocían como músico. Admiraba a Beethoven, Chopin y Debussy. «Con la música se expresa eso que nadie conoce ni puede definir, pero que en todos existe en mayor o menor fuerza. La música es arte por naturaleza».

El ambiente intelectual de Granada era sorprendente para una ciudad tan pequeña. Lorca asistía a las tertulias[14] y los cafés literarios con otros jóvenes de su edad y comenzó a interesarse por temas políticos y filosóficos (la decadencia social, el futuro de España y su propia religiosidad) y estéticos: la música, la escultura renacentista y barroca o la canción popular.

---

**GLOSARIO**

[6] **chopo**: álamo, tipo de árbol muy alto y fino [7] **paja**: caña seca de algunos cereales [8] **rosal**: planta de la rosa [9] **en flor**: estado en el que han salido las flores de una planta [10] **campesino**: persona que trabaja el campo [11] **señorito**: hijo de una familia de la clase alta [12] **acomodado**: con recursos económicos [13] **sirviente**: persona que realiza el servicio doméstico en una casa ajena [14] **tertulia**: reunión habitual de varias personas para conversar

## La tierra de Lorca

Andalucía es la región situada más al sur de la península ibérica. Granada es una de sus ocho provincias y su capital, la ciudad de Granada, fue la última ciudad que los cristianos recuperaron durante la Reconquista que expulsó a los árabes de España. El último rey árabe, a quien se conoce popularmente como Boabdil «el Chico», fue expulsado por los Reyes Católicos en 1492. Así terminaron ocho siglos de presencia[1] de los árabes en España. Una de las obras cumbre[2] de aquel período es el palacio de la Alhambra, que se encuentra entre los más hermosos del mundo.

Pero Andalucía era también una de las regiones más pobres de España. La mayoría de la población vivía del campo, pero pocos campesinos eran dueños de la tierra que trabajaban. Los dueños eran los llamados «señoritos andaluces», la clase alta de la región. El sur de España también era –y sigue siendo hoy– tradicional, con una fuerte influencia de la cultura árabe, el arte y el sonido del flamenco. Igual que hoy, los andaluces tenían fama de ser gente abierta y muy alegre.

GLOSARIO

[1] **presencia**: estancia [2] **cumbre**: punto más alto, (aquí) fundamental

A principios del siglo XX, los gitanos[3] de Granada comenzaron a utilizar las cuevas[4] del barrio del Sacromonte para sus zambras, fiestas donde se cantaba y bailaba hasta la madrugada. Estas cuevas las habían construido los árabes sobre el barrio del Albaicín, el más hermoso de la ciudad. Hoy sigue habiendo espectáculos flamencos en esos lugares, pero con la llegada del turismo, han perdido parte de su autenticidad.

---

GLOSARIO

[3] **gitano**: individuo de un pueblo originario de la India extendido por varios países, que conserva un cierto nomadismo y rasgos físicos y culturales propios

[4] **cueva**: cavidad subterránea

En 1914, Lorca se matriculó en la Universidad en un curso de acceso a las carreras de Filosofía y Letras y Derecho[15], aunque terminó solo esta última. En la Universidad conoció al músico Manuel de Falla, quien le transmitió su admiración por el *folklore* y lo popular. Dos personalidades del mundo académico lo ayudaron a abrirse camino[16] en el mundo del arte y las letras: Fernando de los Ríos, profesor de Derecho Político Comparado y futuro ideólogo del socialismo español, y Martín Domínguez Berrueta, profesor de Teoría de la Literatura y de las Artes.

A partir de 1917, realiza varios viajes por España junto a Fernando de los Ríos. Visita Baeza, donde conoce a Antonio Machado, que entonces era profesor en la Universidad. Después de estos viajes escribe su primer libro, titulado *Impresiones y paisajes*, que financia su padre y se publica en 1918. Es una colección de pequeñas reflexiones en prosa.

A los 24 años, Lorca decide mudarse a Madrid. Allí ingresa en la Residencia de Estudiantes, donde conoce a otros intelectuales. Comienza así a introducirse en la vida cultural de la capital.

---

GLOSARIO

[15] **Derecho**: estudio de la Ley [16] **abrirse camino**: vencer los obstáculos que existen para conseguir un objetivo

pista 03

## La Huerta de San Vicente

Para reconstruir la vida de Lorca es fundamental visitar la casa en la que su familia veraneó[1] cada año de 1926 a 1936: la Huerta de San Vicente. En ella pasó el poeta su último verano. La casa, que antiguamente estaba a las afueras de la ciudad, se encuentra hoy en un barrio de ella. Abierta al turismo, aún conserva el jardín y las habitaciones que sirvieron de refugio[2] al poeta.

La habitación de Lorca transporta al visitante a aquellos días del siglo pasado. En ella hay solo una pequeña cama cubierta por una colcha[3] de ganchillo[4], un cartel del grupo de teatro La Barraca y la mesa donde el poeta escribió algunas de sus mejores obras. En las paredes cuelgan dibujos de Lorca y los diseños que hizo para los escenarios de sus obras de teatro. En el salón hay un gran piano en el que el poeta aprendió la música que llenaba de ritmo su poesía.

GLOSARIO
[1] **veranear**: pasar el verano [2] **refugio**: escondite, lugar de descanso [3] **colcha**: cobertura de la cama [4] **ganchillo**: tipo de labor que se hace con un hilo grueso y un pequeño gancho

Esta casa museo es visita obligada para el turista que viaja a Granada. La Fundación Federico García Lorca, que vela por[5] la obra del poeta, organiza en sus jardines recitales de poesía, conciertos de música clásica y encuentros literarios. Fue Isabel, la hermana del poeta, quien creó la Fundación. Para ello, donó[6] todos los documentos que conservaba del escritor.

Cuando se piensa en ese verano, es posible imaginar cómo fueron aquellos últimos meses, el miedo de la familia dentro de la casa, esperando que vinieran a buscar a Federico.

GLOSARIO

[5] **velar por**: (aquí) ocuparse de  [6] **donar**: dar sin pedir dinero a cambio

**Federico García Lorca y Salvador Dalí en Cadaqués (1925)** / FFGL

# 2. El perro andaluz

«*Viste y desnuda siempre tu pincel en el aire, frente a la mar poblada con barcos y marinos*»
Oda a Salvador Dalí

F ederico García Lorca y Salvador Dalí son una de las parejas de intelectuales de las que más se ha hablado en la historia del arte en España. Se conocieron en la Residencia de Estudiantes en 1922. Su relación, íntima y controvertida, ha sido muy estudiada, así como su diálogo artístico, vinculado a[1] las vanguardias del siglo XX. Tras nueve años de amistad, se distanciaron: Dalí se adentró en[2] el surrealismo y Lorca se fue a Nueva York. ¿Qué pasó entre ellos?

Cuando en 1922 Lorca y Dalí coinciden en la Residencia de Estudiantes de Madrid, se reconocen mutuamente[3] como genios. El arte no es una práctica cerrada para ninguno de los dos. Dalí es, además de pintor, poeta, y Lorca escribe y dibuja. Los dos son amantes de la música, sobre todo de la música popular, y admiran la poesía del poeta nicaragüense Rubén Darío. También ideológicamente son parecidos, y comparten un espíritu anticlerical[4] y afrancesado. Los dos han crecido en un entorno familiar de clase media acomodada. Por último, su sexualidad, si no es indefinida, sí es al menos compleja. Sin embargo, algunas cosas los separan: Lorca es religioso, mientras Dalí es un escéptico.

---

GLOSARIO

[1] **vinculado a**: relacionado con [2] **adentrarse en**: entrar en, practicar con profundidad
[3] **mutuamente**: el uno al otro [4] **anticlerical**: contrario a la Iglesia

Lorca es tímido, mientras Dalí es extrovertido y extravagante. Lorca siente profundamente su raíces[5] andaluzas, mientras Dalí es cosmopolita. Lorca ama el campo, Dalí la ciudad.

El pintor dijo una vez que la amistad entre ambos se basaba en un total antagonismo. Fue en Madrid, la ciudad a medio camino entre el norte y el sur, donde se cruzaron sus vidas. Este encuentro fue fundamental para la historia del arte español.

### El viaje a Cadaqués

Dalí y Lorca, compañeros y amigos en la Residencia, decidieron pasar juntos la Semana Santa[6] de 1925 en Cadaqués (Cataluña), donde la familia de Dalí tenía una casa. Lorca le escribió a su familia: «Dalí me invita espléndidamente. He recibido una carta de su padre, notario de Figueras, y de su hermana (una muchacha de esas que ya es volverse loco de guapas[7]) invitándome también, porque a mí me daba vergüenza[8] presentarme de huésped[9] en su casa». Dalí quería que los dos trabajaran en sus obras frente al mar de la Costa Brava. Fue la primera visita de Lorca a Cataluña. Tanto esta como la que hizo en el verano de 1927 dejaron una profunda huella[10] en su poesía y en su persona. A partir de entonces, la pintura de Dalí tuvo algo de la poesía de Lorca y la poesía de Lorca algo de la pintura de Dalí.

Sin embargo, algo más sucedió allí. La amistad de Lorca por Dalí se convirtió en amor, lo que llevó al poeta a escribir su *Oda a Salvador Dalí*, publicada en 1926: «Viste y desnuda siempre tu pincel[11] en el aire, / frente a la mar poblada con barcos y marinos». Dalí se comportaba de forma ambigua, pero nunca correspondió a los sentimientos de Lorca. Estos, al final, los distanciaron.

---

GLOSARIO

[5] **raíces**: (aquí) orígenes, lo más profundo [6] **Semana Santa**: fiesta cristiana en la que se conmemora la muerte y la resurrección de Cristo [7] **es volverse loco de guapa**: es tan guapa que te vuelves loco [8] **vergüenza**: pudor, timidez [9] **huésped**: invitado [10] **huella**: rastro, marca del pie al caminar [11] **pincel**: instrumento con el que se pinta

Dalí pintó la imagen de Lorca en 12 de sus cuadros. En uno de ellos, las dos cabezas están fundidas; en otro, la sombra[12] del pintor se proyecta sobre el poeta. Dalí nunca reconoció haber mantenido una relación sentimental con el poeta, aunque sí dijo que la relación personal entre ambos había sido trágica. Se escribieron cartas muy románticas en las que además reflexionaban sobre diferentes aspectos del arte. Juntos exploraron los límites de la pintura y la poesía contemporáneas. Dalí ayudó a Lorca en la pintura, descubriéndole los movimientos contemporáneos, y Lorca animó a Dalí a escribir.

## Buñuel, el tercero

En la Residencia de Estudiantes vivía también Luis Buñuel. El aragonés, que organizaba el cineclub de la Residencia, está hoy considerado como uno de los directores de cine más originales de la historia. Se creó una rápida amistad entre los tres, pero pronto Buñuel comenzó a distanciarse de Lorca. Sus ideas eran completamente opuestas al carácter del poeta. Por eso rechazó a Federico y a su obra, a los que tan solo valoraban, según Buñuel, «los poetas maricones[13] y cernudos de Sevilla». El cineasta se esforzó por[14] alejar al genio Dalí de la influencia de Lorca, y lo consiguió. Incluso se piensa que la homosexualidad de Lorca fue otro de los factores que influyeron en el rechazo[15] de Buñuel hacia el poeta.

En una carta de 1928 a un amigo, Lorca escribe: «Estoy convaleciente[16] de una gran batalla y necesito poner orden en mi corazón. Ahora solo siento una grandísima inquietud[17]. Que parece que mañana me van a quitar la vida». Estas palabras las

---

GLOSARIO

[12] **sombra**: proyección oscura de un cuerpo sobre una superficie por efecto de la luz que recibe [13] **maricón**: (vulgar) hombre homosexual [14] **esforzarse por**: trabajar duro para [15] **rechazo**: no aceptación [16] **convaleciente**: persona que se recupera de una enfermedad [17] **inquietud**: (aquí) intranquilidad, nerviosismo

escribe tras recibir una durísima carta de Dalí sobre el *Romancero gitano*. En ella, Dalí califica su poesía de antigua, costumbrista[18] e incapaz de producir emoción. Un año después, en 1929, cuando Buñuel estrena *Un perro andaluz* (*Un chien andalou*), Lorca se siente atacado: «Buñuel ha hecho una peliculita; se llama *Un chien andalou*, y el perro (*chien*) soy yo». Buñuel, sin embargo, nunca confirma las sospechas[19] de Lorca y afirma que ambos se reconciliaron[20] en 1934. Muchos años más tarde, el cineasta escribe en sus memorias: «De todos los seres vivos que he conocido, Federico es el primero. No hablo de su teatro ni de su poesía, hablo de él. La obra maestra era él. (...) Era irresistible[21]. Podía leer cualquier cosa, y la belleza brotaba[22] siempre de sus labios. Tenía pasión, alegría, juventud. Era como una llama[23]».

Pero en esos años de difícil relación entre los tres, Lorca sufrió mucho. Y para vencer esa «gran batalla», decidió huir a la ciudad por excelencia: Nueva York.

---

GLOSARIO

[18] **costumbrista**: que se centra en las costumbres típicas de un país o región [19] **sospecha**: (aquí) creencia, hipótesis [20] **reconciliarse**: recuperar la buena relación que se tenía antes de una pelea [21] **irresistible**: que no se puede resistir [22] **brotar**: salir, surtir, emerger [23] **llama**: fuego

# La Residencia de Estudiantes

El magnífico edificio de la Residencia de Estudiantes se encuentra en el corazón de Madrid. Fue fundada en 1910 por la Junta para la Continuación de Estudios, perteneciente a la Institución Libre de Enseñanza, y se la considera uno de los lugares más vivos de intercambio científico y cultural de la Europa de entreguerras. Uno de sus objetivos era fomentar un ambiente propicio[1] para la creación y la investigación.

Por ella pasaron el poeta Lorca, el pintor Dalí, el cineasta Luis Buñuel y el Premio Nobel de Medicina Severo Ochoa, entre muchos otros. En aquellos tiempos, era posible cruzarse en sus pasillos con[2] escritores como Miguel de Unamuno o filósofos como José Ortega y Gasset. La Residencia también recibió la visita de pensadores extranjeros, como los científicos Albert Einstein o Marie Curie.

Hoy en día, la Residencia organiza gran cantidad de actos públicos en los que participan los grandes protagonistas de las artes y las ciencias. Allí se han escuchado conferencias de Mario Vargas Llosa, Jacques Derrida o Blanca Varela. El Ayuntamiento de Madrid ofrece becas[3] de creación para jóvenes talentos. Les da alojamiento gratuito para que puedan desarrollar sus proyectos. Cada año conviven en ella alrededor de 3000 investigadores, artistas y pensadores de todo el mundo.

---

GLOSARIO

[1] **propicio**: favorable [2] **cruzarse con**: encontrarse por casualidad [3] **beca**: subvención para realizar estudios o investigaciones

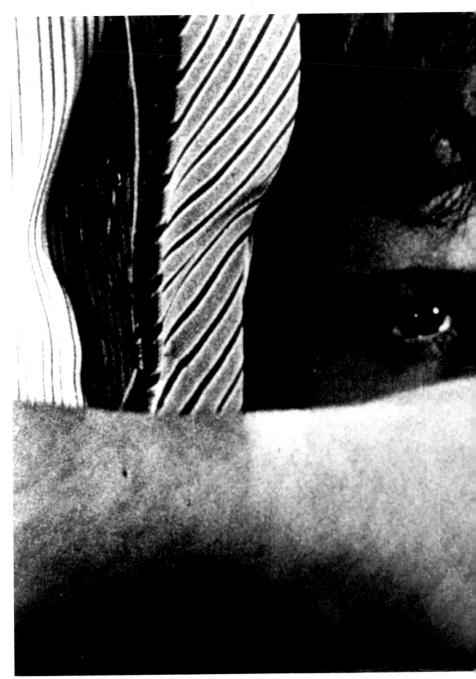

Fotograma de *Un perro andaluz*, de Luis Buñuel (1929)

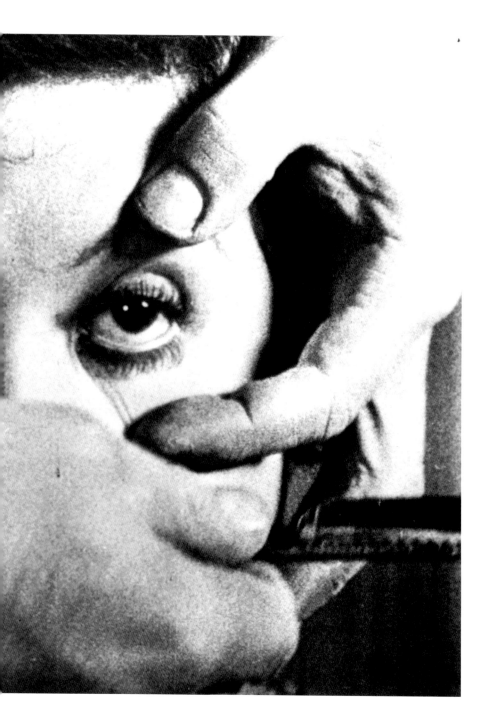

pista 06

# Un perro andaluz

*Un perro andaluz* es un cortometraje dirigido por Luis Buñuel en 1929. Para su realización, Buñuel contó con la colaboración de Salvador Dalí. Dura solo 17 minutos, pero es la película más significativa del cine surrealista. Pretende[1] provocar un impacto moral e irracional en el espectador mediante imágenes muy fuertes. La película se basa en dos sueños, uno de Dalí y otro de Buñuel. Dalí había soñado con una mano llena de hormigas[2]; Buñuel, con una cuchilla[3] de afeitar que cortaba un ojo y con una fina nube que atravesaba la luna llena. El sueño de Buñuel dio lugar a la escena más impactante[4] del cine español.

Buñuel y Dalí escribieron el guión en menos de una semana. Intentaron que ninguna de las imágenes de la película tuviese una explicación racional. Durante ese tiempo, la conexión entre los dos artistas fue total.

La película es una de las obras cumbre del surrealismo. A su estreno, en París, asistieron[5] aristócratas, escritores y pintores. Entre ellos estaba Pablo Picasso.

**GLOSARIO**

[1] **pretender**: querer, tener la intención de [2] **hormiga**: insecto pequeño de color negro [3] **cuchilla**: instrumento de hierro muy afilado que se usa para cortar [4] **impactante**: impresionante [5] **asistir**: ir

# 3. El poeta

«El Sueño va sobre el tiempo flotando como un velero»
La leyenda del tiempo

La poesía de Lorca va más allá de la alegría y la sencillez del romance. Lorca es un POETA, con mayúsculas, porque construyó un mundo propio y lo trasformó en palabras. En su universo mágico y simbólico se encuentran las dos facetas de su personalidad: por una parte, su intensa vitalidad, su alegría, que se reflejaba en su cara de niño alegre; por otra, su dolor ante la vida y un sentimiento que parecía intuir su trágico destino[1].

Este sentimiento trágico ante la vida está en toda su obra y da unidad a todos sus poemas y a todo su teatro, independientemente de la temática. Pero además, Lorca fue un maestro de la forma. Su poesía es una de las más asombrosas[2] de la literatura en español porque une forma y fondo: es perfecta en la técnica formal y apasionada en su contenido. Es humana y a la vez estética. En su poesía, la cultura se adentra en lo popular.

El primer libro de poemas de Lorca, escrito de los 19 a los 22 años, se llamó *Libro de poemas*. Se publicó en 1921. Influido por Gustavo Adolfo Bécquer, los poetas modernistas, Antonio Machado y Juan Ramón Jiménez, Lorca expresaba en él la grave crisis existencial por la que estaba pasando al entrar en la edad adulta.

---

**GLOSARIO**

[1] **destino**: (aquí) futuro, final  [2] **asombroso**: sorprendente

De 1921 a 1924 escribe tres libros. Entre ellos destaca el *Poema del cante jondo*. En él aparece una de las obsesiones de Lorca: la Andalucía del llanto[3]. Lorca expresa su dolor a través de los *cantes jondos* (hondos) de su pueblo. Es la referencia al cante flamenco, que nace del sufrimiento[4] del pueblo gitano del sur. Por primera vez, Lorca transforma el dolor del pueblo en su propio dolor, y convierte lo popular en poesía culta.

### *Romancero gitano* y sus símbolos

El *Romancero gitano* es un superventas[5] de las letras en español. Se publicó en 1928, pero Lorca lo recitaba[6] ya antes de esta fecha, y el público lo conocía. La obra recibió duras críticas de los vanguardistas y los amigos de juventud de Lorca, como Dalí o Buñuel, pero él siempre se defendió[7] diciendo que era su obra más completa, donde su «rostro[8] poético aparece con personalidad propia». El romancero se compone de 18 romances: poemas de verso corto con rima en los versos pares[9]. Para Lorca, los gitanos eran lo más profundo y a la vez lo más alto, «lo más aristocrático» de España, «representantes de la sangre y el alfabeto de la verdad andaluza y universal». Con Lorca, los gitanos y Andalucía dejan de ser personajes y se transforman en mitos. En el romancero hay dos tipos de poemas (aparte de los que dedica a los arcángeles de Córdoba, Granada y Sevilla): por un lado están los poemas líricos, protagonizados por mujeres, y por otro una parte más épica y violenta que dominan los hombres.

¿Por qué el mundo de los gitanos? Los gitanos, por sus creencias y por tener sus propias leyes de vida, han sido tradicionalmente seres oprimidos y marginados por la sociedad. En el mundo de

---

GLOSARIO

[3] **llanto**: acción de llorar [4] **sufrimiento**: dolor físico o psicológico [5] **superventas**: producto que se vende mucho (normalmente libros o discos) [6] **recitar**: decir en voz alta [7] **defenderse**: responder a un ataque [8] **rostro**: cara [9] **(verso) par**: los versos 2, 4, 6, etc.

Lorca, el principal enemigo de los gitanos es la Guardia Civil, que representa a la sociedad más conservadora, y la lucha entre ambos suele terminar con la muerte o con una grave herida[10]. Los gitanos son los habitantes heridos de la Andalucía más tradicional de los primeros años del siglo XX. Pero Lorca proyecta sobre ellos sus ganas de vivir y une así la vieja métrica[11] castellana con la vanguardia.

Pero además de las historias trágicas de los poemas, en esta obra aparece todo el mundo simbólico de Lorca, que se repite a lo largo de toda su producción. Así, uno de los símbolos más potentes del *Romancero gitano* es la luna, que representa la muerte. Uno de los romances más conocidos es precisamente el titulado *Romance de la Luna*.

> La luna vino a la fragua[12]
> con su polisón[13] de nardos[14].
> El niño la mira mira.
> El niño la está mirando.
> En el aire conmovido[15]
> mueve la luna sus brazos
> y enseña, lúbrica[16] y pura,
> sus senos[17] de duro estaño[18].

---

GLOSARIO

[10] **herida**: lesión del cuerpo por un golpe, corte u otra causa [11] **métrica**: arte que estudia la estructura de los versos [12] **fragua**: taller donde se trabaja el metal [13] **polisón**: armazón que se ataba a la cintura antiguamente para abultar el vestido de las mujeres [14] **nardo**: flor blanca con un aroma muy intenso [15] **conmovido**: emocionado [16] **lúbrico**: libidinoso, lascivo [17] **seno**: mama de la mujer [18] **estaño**: metal plateado y maleable

## El flamenco en Lorca

Lorca, que había nacido en Granada, era amigo del músico Manuel de Falla y sentía fascinación por lo popular, el flamenco era un elemento más de su poesía. De hecho, su último libro de poemas, *Diván del Tamarit*, se inspira directamente en la poesía arábigo-andaluza, marcada por el dolor, igual que el arte flamenco. Lorca sentía fascinación por el flamenco y por su cante, que expresa las raíces de Andalucía. La relación de Federico con el flamenco había comenzado en su infancia. Su padre también era un gran admirador de este arte y celebraba a menudo reuniones en su casa en las que invitaba a cantaores (cantantes de flamenco) y se discutía durante horas. Para Federico, ya desde entonces, el flamenco era algo muy serio.

Cantaores tan importantes como Camarón de la Isla o Enrique Morente han cantado al poeta. El disco *La leyenda del tiempo*, de Camarón, es uno de los homenajes más hermosos del mundo de la música al poeta. Lorca no era gitano, pero se ganó el cariño[1] y la admiración de los gitanos. El cantaor Enrique Morente dijo una vez: «La grandeza de Lorca era que gustaba a quien no había pisado[2] las aulas y a los universitarios». Uno de los trabajos más modernos y arriesgados[3] de Morente, este vanguardista del flamenco, es *Omega*. En él, los textos de Lorca, en la voz del cantaor, se mezclan con la fuerza eléctrica del rock de Lagartija Nick.

---

**GLOSARIO**
[1] **cariño**: afecto [2] **pisar**: poner un pie sobre algo, (aquí) entrar [3] **arriesgado**: (aquí) valiente, experimental

Otro símbolo es el metal, que aparece en forma de cuchillos, yunques[19] y anillos. Simboliza la vida y la muerte del pueblo gitano. También los peces, por su reflejo plateado[20] en el agua, simbolizan armas blancas[21].

En la mitad del barranco[22]
las navajas[23] de Albacete
bellas de sangre contraria,
relucen[24] como los peces.

«Reyerta»[25], de *Romancero gitano*

El caballo, tanto aquí como en sus obras de teatro, simboliza la pasión salvaje que lleva a la muerte.

Cobre[26] amarillo, su carne,
huele a caballo y a sombra.
Yunques ahumados[27] sus pechos[28],
gimen[29] canciones redondas.
Soledad, ¿por quién preguntas
sin compaña[30] y a estas horas?

«Romance de la pena negra», de *Romancero gitano*

---

GLOSARIO

[19] **yunque**: superficie de hierro sobre la que se trabajan los metales en una fragua [20] **plateado**: el color de la plata [21] **arma blanca**: arma con hoja de hierro o acero: navajas, cuchillos, espadas, etc. [22] **barranco**: quiebra profunda producida en la tierra por un río [23] **navaja**: cuchillo pequeño que se puede doblar [24] **relucir**: brillar [25] **reyerta**: pelea [26] **cobre**: metal de color rojizo [27] **ahumado**: (aquí) de color oscuro [28] **pecho**: seno, parte delantera del cuerpo [29] **gemir**: (aquí) expresar naturalmente, con sonido y voz, la pena y el dolor [30] **sin compaña**: solo, sin compañía

## Eran las cinco en punto de la tarde

*Llanto por Ignacio Sánchez Mejías* es una de las elegías más hermosas de la literatura. Lorca la escribió en 1935. Se trata de cuatro poemas escritos para el torero Ignacio Sánchez Mejías, que murió en 1934 a causa de una cornada[1] en la plaza de toros. Mejías era amigo de Lorca y de otros poetas de la Generación del 27. En los cuatro poemas se combinan el romance con versos largos y libres.

> A las cinco de la tarde.
> Eran las cinco en punto de la tarde.
> Un niño trajo la blanca sábana[2]
> a las cinco de la tarde.
> (…)
> Lo demás era muerte y solo muerte
> a las cinco de la tarde.

El *Llanto* se inscribe dentro de dos tradiciones españolas: la tradición de llorar por la muerte de alguien y la tradición de la fiesta de los toros. Lorca había dejado de escribir poesía para centrarse más en el teatro, pero la súbita[3] muerte de su amigo lo llevó de nuevo a la poesía. Lorca pasó siete meses escribiendo el poema. Lo presentó por fin en un teatro de Madrid, donde aún se escucha el sonido de esta oda a la amistad[4].

---

GLOSARIO
[1] **cornada**: golpe que da un animal con su cuerno [2] **sábana**: tela con la que se cubre la cama [3] **súbito**: repentino, que no se espera [4] **amistad**: relación que tienen los amigos

# 4. La generación de los amigos

> «Nunca vi a un tipo con tanta magia en las manos, nunca tuve un hermano más alegre»
> Pablo Neruda sobre Lorca

En 1927, el Ateneo de Sevilla organizó un acto para conmemorar el tercer centenario[1] de la muerte del poeta Luis de Góngora. Entre otros, asistieron al evento Federico García Lorca, Rafael Alberti, Dámaso Alonso, Gerardo Diego y Jorge Guillén. A partir de entonces, ese grupo de poetas (al que luego se sumaron[2] otros como Luis Cernuda o el nobel Vicente Aleixandre) comenzó a ser conocido como la Generación del 27. En realidad, más que una generación, era un grupo, ya que entre ellos no había una unidad temática ni formal.

¿Cómo se unieron estos escritores? Muchos de ellos eran muy amigos. Algunos se conocieron en las tertulias y actividades culturales de la Residencia de Estudiantes de Madrid. Otros se conocían porque colaboraban en revistas literarias, sobre todo en la *Revista de Occidente* y la *Gaceta literaria*. Todos admiraban a los poetas medievales y clásicos. Gerardo Diego fue quien les dio la categoría de «grupo» cuando preparó una antología de todos ellos. Era 1932. Entre 1927 y 1936, la convivencia entre ellos fue muy intensa, pero terminó con la Guerra Civil.

---

GLOSARIO

[1] **centenario**: fiesta que se celebra para conmemorar los cien años de un acontecimiento

[2] **sumarse (a)**: unirse, incorporarse

Federico García Lorca y Luis Buñuel en las fiestas de San Antonio de la Florida. Madrid, 1923 / FFGL

## El Madrid de los poetas

Los años veinte fueron años de muchos cambios y dificultades. Reinaba Alfonso XIII, pero la Segunda República estaba cerca. Las grandes promesas[3] soñaban con ir a Madrid, a la capital, en busca de un futuro y de reconocimiento[4].

Más allá de su fracaso[5] político, durante la Segunda República hervían[6] en Madrid la cultura y el pensamiento. Allí se concentraban muchas de las grandes personalidades de estos ámbitos. Los poetas de la Generación del 27 participaban en este ambiente: colaboraban con las revistas literarias, asistían a las actividades culturales y formaban parte de la escena cultural de la ciudad. A menudo hacían tertulias espontáneas en casa de Rafael Alberti, a la que llamaban *la arboleda[7] perdida*, o en casa del chileno Pablo Neruda, *la casa de las flores*. Allí, bebían vino y discutían sobre la estética de las vanguardias o la influencia de los poetas anteriores sobre sus propios versos.

Pero también recibieron críticas. Antonio Machado les reprochaba[8] su intelectualismo, y decían que eran «más ricos de conceptos que de intuiciones». La mayoría de estos poetas provenían de familias acomodadas y habían recibido formación universitaria. Su camaradería[9] era de élite.

GLOSARIO

[3] **promesa**: que muestra cualidades especiales que pueden hacer que triunfe [4] **reconocimiento**: prestigio, fama [5] **fracaso**: derrota [6] **hervir**: bullir [7] **arboleda**: lugar con muchos árboles [8] **reprochar**: criticar [9] **camaradería**: amistad, compañerismo

pista 11

## La Segunda República

Tras la dimisión[1] del dictador Miguel Primo de Rivera, en enero de 1930, el rey Alfonso XIII intentó devolver al régimen monárquico la fuerza que había perdido y convocó elecciones. Pero tuvo que abandonar España, ya que los Gobiernos de las ciudades eran claramente antimonárquicos y se pusieron en su contra porque había permitido la dimisión de Primo de Rivera.

La Segunda República duró del 14 de abril de 1931 al 1 de abril de 1939, fecha en la que terminó la Guerra Civil y comenzó la dictadura del general Francisco Franco. Durante ese periodo nació la primera Constitución democrática de España, aprobada tras unas elecciones[2] generales. Era 1931. Además se hicieron varias reformas sociales profundas, como la agraria[3] y la educativa. El país era entonces muy moderno con respecto a Europa.

La República era el sueño de un país que se esforzó por conseguir la democracia y la modernidad, la libertad y la justicia, la educación, el progreso y los derechos fundamentales. Pero se quedó en eso, en un sueño tormentoso[4] en lo político. En la tarde del 17 de julio de 1936, el ejército español, que estaba en Marruecos, llevó a cabo[5] un golpe de Estado[6] que terminó con el sueño democrático durante los 40 años que siguieron.

---

GLOSARIO

[1] **dimisión**: renuncia de un cargo profesional [2] **elecciones**: competición por cargos políticos en la que decide el voto del pueblo [3] **reforma agraria**: reforma política que se hace para modificar la estructura de propiedad de la tierra [4] **tormentoso**: (aquí) revuelto, agitado [5] **llevar a cabo**: hacer, realizar [6] **golpe de Estado**: toma violenta del poder por parte de los militares u otro grupo rebelde

**Neruda y Lorca,** *al alimón*

Cuando en junio de 1934 el escritor chileno llegó en tren a Madrid, Federico García Lorca fue a esperarlo a la estación con un ramo de flores. Esta amistad, que se formó en la poesía, no desapareció nunca. La admiración mutua de los dos poetas era total. También los unía la admiración por el nicaragüense Rubén Darío, en honor al cual escribieron un discurso *al alimón* que presentaron en el Pen Club de Buenos Aires.

En sus memorias, Neruda recuerda a Lorca como el hombre «más feliz» que había conocido. Escribió sobre él: «Un multiplicador de la hermosura. Nunca vi a un tipo[10] con tanta magia en las manos, nunca tuve un hermano más alegre». Fue Lorca quien presentó a Neruda a todo el círculo del 27.

Se vieron por última vez el 11 de junio de 1936, mientras compartían un gazpacho andaluz en casa de Rafael Alberti. Neruda se enteró de la muerte de Lorca días después de su fusilamiento[11]: «Lo han escogido bien quienes al fusilarlo han querido disparar al corazón de su raza», dijo al recibir la noticia. Desde el exilio escribió una hermosa oda al poeta de Granada.

> Si pudiera llorar de miedo en una casa sola,
> si pudiera sacarme los ojos y comérmelos,
> lo haría por tu voz de naranjo enlutado[12]
> y por tu poesía que sale dando gritos.

**Miguel Hernández**

El poeta Miguel Hernández fue la otra gran pérdida[13] poética de la Guerra Civil. Pastor[14] de Alicante, llegó a Madrid en 1931. Estaba

---

GLOSARIO

[10] **tipo**: hombre [11] **fusilamiento**: ejecución de una persona disparándole varias personas con fusiles, todas a la vez [12] **enlutado**: que está de luto, es decir, que muestra el dolor por la muerte de una persona, normalmente con el color negro [13] **pérdida**: acción de perder algo, (aquí) muerte [14] **pastor**: persona que cuida ovejas

ansioso por[15] mezclarse con la generación a la que había leído con admiración. Sin embargo, aunque encontró los brazos abiertos de muchos de ellos, no sucedió así con Federico García Lorca. Este lo animaba a seguir escribiendo, pero no contestaba a las cartas que Hernández le enviaba. Al releer toda la correspondencia, queda claro que Miguel Hernández tenía muchas ganas de triunfar, pero Lorca no le prestaba demasiada atención.

> «Admirado poeta amigo, le escribí hace mucho tiempo pidiéndole elogios[16] y aquí me tiene usted esperándolos, entre otras cosas. He pensado ante su silencio que usted me tomó el pelo[17] a lo andaluz».

> Miguel Hernández a Lorca

Aunque los separaban su origen, la edad y la forma de sus versos, sufrieron el mismo destino. El niño bien[18] de Granada y el joven pastor de Orihuela murieron de la mano de los mismos, por defender una libertad que cada uno entendía a su manera.

---

GLOSARIO

[15] **estar ansioso por**: tener muchos deseos de [16] **elogio**: alabanza, felicitación [17] **tomar el pelo (a alguien)**: gastarle bromas a alguien, no tomarlo en serio [18] **niño bien**: niño o joven de la clase alta

## Un país sin poetas

El triunfo del bando nacional terminó con la vida cultural de Madrid y de la Generación del 27. Casi todos los poetas (tanto los del grupo como los demás) se exiliaron. Muy pocos se quedaron a ver cómo se oscurecía la España que conocían. Dámaso Alonso, Vicente Aleixandre y Gerardo Diego se quedaron. También Lorca y Hernández, pero estos no volvieron a ver un país sin guerra. Miguel Hernández murió después del conflicto en una cárcel de Alicante, víctima de la tuberculosis.

España se quedó así sin poetas. Desde Europa, México, Cuba o Argentina mantuvieron la amistad entre ellos y el contacto con los que se habían quedado en España. Aunque cada uno tuvo una evolución diferente, todos escribieron versos en los que expresaban su tristeza por el sueño frustrado.

Hasta los años cincuenta no volvió a haber en España una generación de poetas tan importante. En esa década, la poesía se convirtió en *un arma cargada de futuro*.

# 5. Un poeta en Nueva York

«¡Ay, Harlem! ¡Ay, Harlem! ¡Ay, Harlem!»
Poeta en Nueva York

Nueva York fue para Lorca una huida[1] hacia adelante. En España, estaba sufriendo una profunda crisis en lo personal y en lo poético. Por una parte, sufría por su distanciamiento de Dalí y las duras críticas que él y Buñuel hacían de su obra. Por otra, el *Romancero gitano* había hecho al poeta famoso en toda España, pero su imagen pública (que continúa hasta hoy) no es la que Lorca quería tener. Lorca se había convertido en la voz[2] de los gitanos. Sin embargo, el *Romancero* es además un libro complejo técnica y poéticamente, una alegoría simbólica de difícil interpretación. A Lorca le molestaba profundamente esta simplificación: «No quiero que me encasillen[3]. Siento que me echa cadenas[4]».

Pero además, Lorca acababa de distanciarse también de Emilio Aladrén, un joven escultor con el que había mantenido una fuerte relación afectiva. Por eso, cuando en 1929, su antiguo maestro Fernando de los Ríos lo invitó a acompañarlo a Nueva York, Lorca aceptó. Allí podría aprender inglés, renovar su obra e investigar en la prestigiosa Universidad de Columbia. El poeta hizo las maletas y

---

GLOSARIO

[1] **huida**: fuga, escapada [2] **voz**: (aquí) expresión [3] **encasillar**: clasificar de forma rígida
[4] **cadena**: objeto de metal formado por eslabones que, puesto alrededor de algo, lo inmoviliza

tomó el Olympic, barco gemelo del Titanic, rumbo a[5] la Gran Manzana. «Fue una de las experiencias más útiles[6] de mi vida», dijo después.

En Nueva York, Lorca se encontró por primera vez con la diversidad, las grandes masas urbanas, el mundo industrial y la modernidad. Conoció los sonidos del jazz y el blues y el barrio de Harlem, al que le gustaba mucho ir; vio cine sonoro[7], leyó los poemas de Walt Whitman y T. S. Eliot y escribió uno de sus mejores libros, *Poeta en Nueva York*, que se publicó cuatro años después de su muerte.

Le encantaba Nueva York: su modernidad, su mezcla racial y religiosa, su atrevimiento[8]. En *Poeta en Nueva York*, Lorca describió la ciudad detalladamente y con un aire onírico[9], y sobre todo, hizo un retrato[10] perfecto de la soledad de las grandes ciudades. Ese retrato sigue siendo actual hoy en día.

## La Habana

En 1898, el año en que nació Lorca, España perdió la colonia de Cuba contra Estados Unidos en el llamado Desastre del 98. Después perdió también Puerto Rico y Filipinas. Cuando Lorca llegó a Cuba, en 1930, la isla pasaba por una fuerte depresión económica.

En ese momento gobernaba el populista Gerardo Machado y comenzaban a escucharse los primeros gritos revolucionarios. Había una fuerte agitación[11] cultural: el son comenzaba a escucharse en la radio y nació el *negrismo*, un movimiento que quería recuperar[12] las raíces africanas de los isleños. Para Lorca, Cuba fue el encuentro con la América española y pintoresca. Respiró la libertad y su poesía se llenó de ritmos negros. Además, dio una serie de conferencias sobre literatura y arte que fueron un gran éxito.

---

**GLOSARIO**

[5] **rumbo a**: hacia, en dirección a [6] **útil**: práctico, beneficioso [7] **sonoro**: con sonido [8] **atrevimiento**: valentía, valor [9] **onírico**: relativo a los sueños [10] **retrato**: imagen detallada de algo o alguien [11] **agitación**: inquietud (intelectual), movimiento extremo [12] **recuperar**: volver a tomar algo que se había perdido

Es fácil imaginar al alegre Federico en Cuba. Fue un periodo feliz, sensual y lleno de descubrimientos: «Esta isla es un paraíso. Si yo me pierdo, que me busquen en Andalucía o en Cuba». Allí completó *Poeta en Nueva York*, y añadió versos geniales como *Son de negros en Cuba*.

Lorca aprovechó al máximo su estancia en la Habana. Disfrutó de sus calles, su vendedores ambulantes[13], sus bares y locales nocturnos, donde, tal vez, pudo liberar su sexualidad, tan oprimida en España.

---

GLOSARIO

[13] **ambulante**: que va de un lugar a otro

## El manuscrito[1]

La única copia de aquellos poemas que forman *Poeta en Nueva York*, 96 páginas escritas a máquina y 26 a mano, se la entregó Lorca al escritor José Bergamín poco antes de ser asesinado, en 1936. El borrador[2] estaba lleno de tachones[3] y correcciones. Bergamín se lo llevó al exilio, a Francia y a México. Se publicó por primera vez en 1940, en México y en Estados Unidos. El manuscrito original desapareció y no se encontró hasta 1999. Lo tenía la actriz Emma Penella, hija del responsable del asesinato de Lorca. La Fundación Federico García Lorca lo adquirió en el año 2003 para preparar una edición definitiva.

Los estudiosos de su obra no se han puesto de acuerdo hasta ahora en su estructura ni en sus características finales. Discrepan[4] en la distribución de los poemas. Lo que sí se sabe es que Lorca quería publicarlo con fotografías de la ciudad. El manuscrito original incluía 18 ilustraciones que debían acompañar a los poemas, entre ellas, una fotografía de la Estatua de la Libertad y de Broadway.

Para Lorca, este era uno de sus mejores poemarios[5]. Si lo hubiese publicado en vida, habría cuidado[6] hasta el mínimo detalle de su edición.

---

**GLOSARIO**

[1] **manuscrito**: papel o libro escrito a mano [2] **borrador**: escrito provisional [3] **tachón**: línea que se dibuja sobre una parte de un texto para indicar que ya no vale [4] **discrepar**: no estar de acuerdo [5] **poemario**: libro de poemas [6] **cuidar**: (aquí) poner atención a

# 6. El teatro

«El teatro es poesía que se levanta del libro»

Hay un instante mágico para el espectador de una obra de teatro: cuando por fin entra en ella. Puede suceder mientras lee la obra o en el teatro, frente al escenario. Las obras de Federico García Lorca emplean un lenguaje completamente poético y llevan al lector o al espectador a su mundo. Su teatro trata de los grandes temas de la humanidad: la vida y la muerte, el amor, la pasión y el deseo, la libertad, la frustración. La mayoría de sus personajes se enfrenta a[1] un destino trágico, se rebela contra una sociedad opresiva[2], y tiene un fin también trágico. Por eso, el teatro de Lorca llega a espectadores de cualquier época y lugar. Por eso sus obras se han convertido en clásicos modernos.

Federico García Lorca escribió teatro durante toda su vida, desde que era un niño, y su obra dramática está a la altura de[3] su poesía. Sin embargo, fue en los últimos seis años cuando escribió las obras que le dieron fama universal. Sus obras tienen siempre un doble enfoque: social y personal. Se trata de una fuerte lucha que traspasa el *yo* para llegar al *nosotros*.

---

GLOSARIO

[1] **enfrentarse a**: afrontar, luchar contra [2] **opresivo**: intolerante [3] **a la altura de**: (aquí) tener la misma calidad que

Lorca pensaba que el teatro estaba en manos de empresas comerciales que despreciaban[4] a los clásicos. Él admiraba a los clásicos: Lope de Vega, Calderón de la Barca o Shakespeare, pero también estaba influido por el teatro de vanguardia. Lorca tuvo mucho éxito como dramaturgo y sus obras se siguen representando hoy en todo el mundo.

La trayectoria dramática de Lorca comienza con una obra juvenil: *El maleficio[5] de la mariposa[6]*. Simbolista y naif, ya trata uno los temas que obsesionaban al autor: el amor imposible. De su primera época es también *Mariana Pineda* (1925), cuyos escenarios diseñó Salvador Dalí. Esta obra cuenta la historia de una heroína que fue condenada a muerte en Granada por bordar[7] una bandera[8] liberal. La obra fue considerada antidictatorial. En 1926 escribe *La zapatera prodigiosa*, una farsa violenta de una joven casada con un viejo zapatero. Siguen *Amor de don Perlimplín con Belisa en su jardín*, una «aleluya erótica» con aires de farsa y otro caso de amor trágico, y el *Retablillo[9] de don Cristóbal*, de 1931.

Tras su visita a Nueva York y su crisis vital y estética, escribe las «comedias imposibles». Bajo la influencia del surrealismo, la imaginación y el lenguaje de Lorca están desatados[10]. *El público* es una especie de auto sacramental[11] sin Dios. En ella acusa a la sociedad de crucificar a los homosexuales, como a Cristo. En *Así que pasen cinco años*, de 1931, cuenta la historia de un joven dividido entre dos amores. Estas dos obras surrealistas hablan de la frustración íntima y el dolor que la homosexualidad le causó en sus relaciones.

---

**GLOSARIO**

[4] **despreciar**: rechazar, no valorar  [5] **maleficio**: hechizo mágico que se usa para hacer daño  [6] **mariposa**: insecto volador de bellos colores  [7] **bordar**: coser, adornar con hilo un tejido  [8] **bandera**: tela con los colores oficiales de un país  [9] **retablo**: obra de arquitectura que decora un altar  [10] **desatado**: (aquí) libre, salvaje  [11] **auto sacramental**: obra de teatro que celebra la Eucaristía, es decir, la transformación del pan y el vino en el cuerpo y la sangre de Cristo

### *Bodas de sangre*: «que la culpa[12] es de la tierra»

En *Bodas de sangre* (1931), un drama tal vez menos conocido o representado que *Yerma* o *La casa de Bernarda Alba*, aparecen todos los símbolos lorquianos y sus obsesiones. Uno de sus versos resume toda la obra: «que la culpa es de la tierra». Leonardo, el personaje salvaje[13] y apasionado que rapta[14] a una novia en el día de su boda, reflexiona sobre sus actos, y para justificarlos, culpa a la tierra. Los personajes de Lorca son víctimas del deseo, del instinto, de lo irracional, de lo oscuro, de todo lo que nace en el ser humano allí donde la razón no llega, donde la tradición, la educación o la religión no pueden hacer nada. Los personajes saben que su futuro es incierto, pero eligen la libertad y lo animal, y terminan así en tragedia.

*Yerma* (1934) trata el tema de la esterilidad[15] en la mujer, de su frustración y su marginación social. Cuenta la tragedia de una mujer que no puede tener hijos y siente que esta es la única razón de su existencia. La historia termina, una vez más, en tragedia. La obra provocó un escándalo entre los sectores más tradicionales.

En 1935, Lorca escribió *Doña Rosita la soltera,* un drama que habla de la situación de la mujer en la burguesía urbana.

### La obra póstuma[16] de Federico: *La casa de Bernarda Alba*

La última obra de Lorca es *La casa de Bernarda Alba*, subtitulada *Drama de mujeres en los pueblos de España*. Es una obra maestra del teatro de entreguerras y una de las obras más importantes del teatro español del siglo XX. Lorca la escribió en 1936, pero no pudo ver su estreno. La historia se basa en un hecho real (igual que *Bodas de sangre*) y en unos personajes también reales:

---

GLOSARIO

[12] **culpa**: causa de un mal [13] **salvaje**: descontrolado, bravo [14] **raptar**: sacar a una mujer violentamente de la casa de sus padres [15] **esterilidad**: incapacidad para tener hijos [16] **póstumo**: que se publica después de la muerte del autor

Frasquita Alba y sus hijas, vecinas de los Lorca en Granada. En ella, Lorca cuenta la historia de Bernarda, una viuda que instala un luto riguroso en su casa y obliga a todas sus hijas, Angustias, Magdalena, Amelia, Martirio y Adela, a respetar este luto. Los hombres no aparecen nunca en escena, pero la sombra de Pepe el Romano está presente durante toda la obra. Él hace explotar la pasión de las hijas y provoca la tragedia.

En *La casa de Bernarda Alba* se tratan varios temas sociales: la situación de la mujer, la religión, las clases sociales, la sociedad opresiva de la época, el poder, la tradición y, sobre todo, el deseo de libertad. La obra se estrenó en Buenos Aires, en 1945, casi diez años después de la muerte del poeta.

## La Barraca de Federico

La Barraca, que nació en 1932, era un grupo universitario de teatro dirigido por Lorca. Formaba parte de las Misiones Pedagógicas, un proyecto educativo del Gobierno de la Segunda República para las zonas rurales de España. Así aprendió Lorca el oficio del teatro, vestido siempre con mono[17] azul de obrero[18]. La idea surgió en Nueva York. Allí, Lorca conoció el teatro no profesional que se estaba haciendo en Estados Unidos y tuvo la idea de formar una compañía de teatro ambulante para llevar los clásicos a las zonas adonde no habían llegado. Interpretó a Calderón de la Barca, Miguel de Cervantes y Lope de Vega para un público vestido «con camisa de esparto[19]».

Lorca estaba entusiasmado con la idea. Quería salvar el teatro español y había encontrado un gran público: el pueblo. Fue con su compañía por los campos de España, continuando la tradición de los titiriteros[20] y cómicos ambulantes.

---

**GLOSARIO**

[17] **mono**: prenda de vestir de una sola pieza que se utiliza para trabajar en algunos oficios [18] **obrero**: (aquí) persona que trabaja en la construcción [19] **esparto**: planta resistente y áspera que se utiliza para hacer cuerdas, alfombras y otros objetos [20] **titiritero**: persona que tiene un espectáculo de títeres o marionetas

**Federico García Lorca y la actriz Margarita Xirgu en 1935** / FFGL

pista 16

## Margarita Xirgu, la actriz

La pareja formada por la actriz Margarita Xirgu (Cataluña, 1888) y Federico García Lorca se convirtió en un símbolo de la vanguardia teatral en los años anteriores a la Guerra Civil. La Xirgu, como se la conocía, llegó a Madrid en 1912, y se consagró[1] en la escena española como una actriz moderna, intelectual y valiente[2].

Se conocieron en 1926 y sintieron una fascinación mutua. Era la *Mariana Pineda* perfecta, y estrenó también *Yerma*, *Doña Rosita la soltera*, *Bodas de sangre* y *El lenguaje de las flores*. Los dos tenían un fuerte compromiso con el teatro de la República y llevaron sus representaciones de ciudad en ciudad.

La actriz se identificaba tanto con sus papeles que tras una representación de *Bodas de sangre*, en la que ella era la madre dolida[3] del novio, un espectador se acercó a ella y le dio su más sentido pésame[4].

Se despidieron en 1936. La Xirgu se fue de gira[5] por Sudamérica con su compañía. Esperaban volver a verse pronto, pero Lorca fue asesinado. La actriz se exilió en Chile, Argentina y Uruguay, y participó en el estreno de *La casa de Bernarda Alba* en Buenos Aires, en 1945. Con ella se estrenaron las mejores obras del teatro de la posguerra, fuera de España, en el exilio.

---

**GLOSARIO**

[1] **consagrarse**: ganar fama y prestigio [2] **valiente**: que tiene valor, atrevida [3] **dolido**: que siente dolor [4] **dar el pésame**: comunicar a una persona que se lamenta una desgracia que ella ha sufrido [5] **ir(se) de gira**: viajar durante un tiempo actuando en diferentes lugares

# 7. Más allá de la muerte del poeta

«*Lo demás era muerte y solo muerte*»
Llanto por Ignacio Sánchez Mejías

L a Guerra Civil comenzó el 18 de julio de 1936. El 19 de agosto, Federico García Lorca fue asesinado. Tenía 38 años. Fue en el camino que une los pueblos de Víznar y Alfácar, en la provincia de Granada. Su cuerpo está en una fosa común[1] anónima.

Aunque Lorca estaba de acuerdo con las ideas de la República, no era un poeta político ni social. Sus pasiones eran otras. Los embajadores de México y de Colombia, preocupados por su destino, le habían ofrecido asilo político[2], pero Lorca no lo había aceptado. Quería pasar ese verano en su casa de Granada. En aquellos días, alguien le preguntó por sus ideas políticas. Él se declaró «católico, comunista, anarquista, libertario, tradicionalista y monárquico». Nunca se afilió a[3] ningún partido y no discriminó o se distanció de ninguno de sus amigos por ideas políticas. Fue incluso[4] gran amigo de José Antonio Primo de Rivera, el fundador y el líder de la Falange Española.

Sin embargo, en Granada tenía fama de progresista, libertario y homosexual. Y esto no se lo perdonaron. Lorca era ingenuo[5], sin

---

GLOSARIO

[1] **fosa común**: lugar donde se entierran los muertos que no pueden tener una sepultura propia [2] **asilo político**: protección que un Estado ofrece a un extranjero que abandona su país por motivos políticos [3] **afiliarse a**: convertirse en miembro oficial de [4] **incluso**: aun, hasta [5] **ingenuo**: inocente, confiado, sin malicia

embargo. Pensaba que estaba a salvo de los militares, pero estos pidieron y permitieron su fusilamiento.

Pasó sus últimos días escondido[6] en casa de la familia de su amigo y poeta Luis Rosales. Una conocida actriz española, Emma Penella, contó la verdad poco antes de morir, en una carta firmada en la que confesaba que su padre, Ramón Ruiz Alonso, había ordenado la detención y el fusilamiento de Lorca. A los militares los avisó uno de los hijos de Luis Rosales: Miguel, que era falangista. Todavía no se conocen las verdaderas razones de su muerte. Algunos piensan que solo querían asustarlo[7] y obligarlo a dar información sobre su viejo maestro Fernando de los Ríos. Salvador Dalí estaba seguro de que lo habían matado por ser homosexual, y Luis Buñuel dijo que lo habían matado por ser poeta, ya que en el bando franquista se gritaba: «¡Muera la inteligencia!».

Del extranjero llegaron muchas protestas por esta muerte injusta y Franco decidió borrar las huellas del asunto. Lorca es hoy, todavía, el desaparecido más famoso de España.

---

GLOSARIO
[6] **escondido**: oculto [7] **asustar**: producir miedo

pista 18

# La Guerra Civil española

El 18 de julio de 1936, el sector más conservador del Ejército se sublevó[1] contra el Gobierno de la Segunda República. La sublevación terminó con la democracia que había existido en España desde 1931.

La Guerra duró tres años y en ella combatieron el frente republicano (el Frente Popular: coalición de marxistas, republicanos y nacionalistas, apoyados por obreros, sindicatos y demócratas) y el bando nacional (altos mandos del Ejército apoyados por el partido Falange Española, la Iglesia y los conservadores, monárquicos, cedistas y carlistas). En octubre de 1936, Francisco Franco fue nombrado jefe Supremo de los nacionales.

Las consecuencias de la guerra han marcado la historia de España hasta hoy. Tras la victoria de los nacionales, en 1939, Franco se proclamó[2] jefe de Estado y comenzó una dictadura que no terminó hasta 1975, el año en que murió. La represión política duró 40 años.

En 2009, el juez[3] Baltasar Garzón se declaró con autoridad para investigar los crímenes de la represión franquista. Pero Falange Española y el partido ultraderechista Manos Limpias presentaron una querella[4] que terminó con la suspensión[5] del juez. La herida de la guerra aún está abierta en España.

---

GLOSARIO
[1] **sublevarse**: rebelarse, amotinarse [2] **proclamar(se)**: nombrarse oficialmente para un cargo o poder [3] **juez**: persona que imparte justicia [4] **querella**: acción penal contra una persona que se considera que ha cometido un delito [5] **suspensión**: (aquí) cese, prohibición de seguir actuando como juez

## La búsqueda del poeta

«Ni un solo hueso. Ni una esquirla[8], por pequeña que fuera». Estas fueron las declaraciones del jefe de las excavaciones[9] que, en diciembre de 2010, se detuvieron en Alfácar, donde se creía que estaban los restos del poeta.

La Ley de la Memoria Histórica fue una de las promesas electorales del Gobierno de José Luis Rodríguez Zapatero. Esta ley reconoce a todas las víctimas de la Guerra Civil y a las víctimas de la dictadura. Con ella, el Gobierno se compromete a[10] impulsar la exhumación[11] de las fosas comunes que existen en muchos lugares de España.

Durante dos meses se excavó buscando los restos del poeta, pero no se encontró nada. La familia de Lorca, además, no estaba de acuerdo con la búsqueda. Pero Lorca estaba en una fosa con otros cuerpos, y las otras familias sí querían recuperar los restos de sus familiares, así que los Lorca tuvieron que aceptarlo. Solo pidieron que el acto no se convirtiera en espectáculo mediático.

Lorca es un desaparecido. Sus asesinos quisieron borrar[12] sus huellas para anular su memoria en el futuro. Sin embargo, nunca pudieron luchar contra las armas del poeta: el verso y la palabra. Lorca tuvo una «valiente alegría», como escribió en uno de sus versos, a veces demasiado ingenua para aquellos tiempos oscuros.

No te conoce nadie. No. Pero yo te canto.
Yo canto para luego tu perfil y tu gracia.
La madurez[13] insigne[14] de tu conocimiento.
Tu apetencia[15] de muerte y el gusto[16] de su boca.
La tristeza que tuvo tu valiente alegría.

Federico García Lorca, de *Alma ausente*

---

GLOSARIO

[8] **esquirla**: astilla o pieza muy pequeña de un hueso [9] **excavación**: investigación que consiste en desenterrar restos del pasado [10] **comprometerse a**: contraer una obligación [11] **exhumación**: acto de desenterrar un cadáver o restos humanos [12] **borrar**: eliminar, suprimir [13] **madurez**: (aquí) prudencia, sensatez [14] **insigne**: célebre, famoso [15] **apetencia**: ganas [16] **gusto**: sabor

pista 19

## La Ley de la Memoria Histórica

En 2007 se aprobó la Ley de la Memoria Histórica. Promueve[1] la reparación moral y la recuperación de la memoria de las víctimas de la Guerra y de sus familiares. Algunas medidas consisten en suprimir elementos (banderas, estatuas, etc.) que pueden dividir a los ciudadanos. Pretende fomentar la cohesión y la solidaridad entre los españoles de hoy y las nuevas generaciones. Algunas de las acciones del Gobierno en este sentido han sido:

> Reconocer oficialmente a las personas que fueron perseguidas[2] o sufrieron violencia por razones políticas, ideológicas o religiosas.

> Indemnizar[3] a las personas o las familias de las personas que sufrieron heridas graves o murieron por defender la democracia.

> Dar la nacionalidad española a los voluntarios de las Brigadas Internacionales.

> Permitir el acceso a los libros de defunciones[4] de los registros civiles.

> Retirar los símbolos franquistas de los lugares públicos.

Para algunos, esta ley es una medida de justicia hacia las víctimas de la Guerra Civil, ya que les permite buscar a sus familiares y aclarar los crímenes de la guerra y la dictadura. Para otros, en cambio, abre viejas heridas que aún no están curadas. El debate continúa hasta hoy.

---

GLOSARIO

[1] **promover**: fomentar, animar [2] **perseguir**: (aquí) condenar [3] **indemnizar**: reparar o compensar por un daño que ha sufrido una persona [4] **defunción**: muerte

# Notas culturales

### 1. El niño Federico

Miguel de Cervantes (1547-1616): Miguel de Cervantes Saavedra es la figura más importante de la literatura española. Su obra más famosa es *Don Quijote de la Mancha*.

Manuel de Falla (1876-1946): Manuel de Falla y Matheu fue un compositor español.

Fernando de los Ríos (1879-1949): Político e ideólogo. Es una de las figuras más relevantes del pensamiento socialista en España.

Antonio Machado (1875-1939): Poeta de la Generación del 98.

Reconquista: Proceso histórico en que los reinos cristianos de la península ibérica intentaron recuperar las regiones que estaban bajo el poder musulmán. Comienza en el año 722 y termina en 1492.

### 2. El perro andaluz

Rubén Darío (1867-1916): Poeta nicaragüense, considerado el máximo representante del modernismo literario en español.

Cernudo: Relativo a Luis Cernuda (1902-1963), poeta y crítico literario de la Generación del 27.

Institución Libre de Enseñanza: Institución pedagógica fundada en 1876 por un grupo de catedráticos que defendían la libertad de cátedra y la independencia de cualquier tendencia política o religiosa.

Mario Vargas Llosa: Novelista y ensayista peruano. En 2010 ganó el Premio Nobel de Literatura.

Blanca Varela (1926-2009): Poeta peruana considerada como una de las más importantes de la actualidad en América Latina.

### 3. El poeta

Gustavo Adolfo Bécquer (1836-1870): Poeta y narrador español del Romanticismo. Su obra más famosa es *Rimas y leyendas.*

Juan Ramón Jiménez (1881-1958): Poeta español ganador del Premio Nobel de Literatura en 1956.

Cante jondo: Cante flamenco de profundo (hondo) sentimiento.

Guardia Civil: Cuerpo de seguridad que se encarga de mantener el orden público en las zonas rurales y vigilar las fronteras, carreteras y ferrocarriles.

Camarón de la Isla (1950-1992): Nombre artístico de José Monge Cruz, cantaor andaluz que renovó el cante flamenco.

## 4. La generación de los amigos

*Al alimón*: Expresión del lenguaje taurino. Significa que dos toreros se reparten la corrida del mismo toro, intercalando sus pases.

*La poesía es un arma cargada de futuro*: Título de un poema de Gabriel Celaya (1911-1991), uno de los representantes fundamentales de la llamada «poesía comprometida».

## 5. Un poeta en Nueva York

Son: Género musical del este de Cuba que se suele tocar con guitarra, tres cubano, bajo, maracas, claves, bongó y trompeta.

## 6. El teatro

Lope de Vega (1562-1635): Uno de los más importantes poetas y dramaturgos del Siglo de Oro español.

Calderón de la Barca (1600-1681): Escritor, poeta y dramaturgo del Siglo de Oro.

## 7. Más allá de la muerte del poeta

José Antonio Primo de Rivera (1903-1936): Abogado y político español, hijo del dictador Miguel Primo de Rivera, que fundó y lideró el partido Falange Española.

Falange Española: Partido político español de extrema derecha, de ideología fascista, que apareció durante la Segunda República española.

Cedistas: Partidarios de la CEDA, la Confederación Española de Derechas Autónomas, una alianza de partidos políticos católicos de derechas fundada durante la Segunda República.

Carlistas: Partidarios del carlismo, un movimiento político tradicionalista, antiliberal que pretendía establecer una rama alternativa de la dinastía de los Borbones.

# Glosario

| ESPAÑOL | INGLÉS | FRANCÉS | ALEMÁN |
|---|---|---|---|

## 1. El niño Federico

| ESPAÑOL | INGLÉS | FRANCÉS | ALEMÁN |
|---|---|---|---|
| [1] **maestro** | primary teacher | maître | Grundschullehrer |
| [2] **remolacha** | beetroot | betterave | Rübe |
| [3] **hábil** | skilful, capable | doué | geschickt |
| [4] **entretener** | to entertain | distraire | unterhalten |
| [5] **escenario** | stage sets | les décors | Bühnendekoration |
| [6] **chopo** | poplar | peuplier | Pappel |
| [7] **paja** | straw | paille | Stroh |
| [8] **rosal** | rose-bush | rosier | Rosenstrauch |
| [9] **en flor** | in flower | en fleur | in Blüte |
| [10] **campesino** | peasant | paysan | Bauern- |
| [11] **señorito** | wealthy young man | fils à papa | junger Mann |
| [12] **acomodado** | well-off | aisé | wohlhabend |
| [13] **sirviente** | servant | domestique | Hausangestellte |
| [14] **tertulia** | informal discussion | réunion informelle et périodique | Gesprächskreis |
| [15] **Derecho** | Law | droit | Recht/ Jura |
| [16] **abrirse camino** | to make (his/her) way | faire son chemin | sich einen Weg bahnen |

## *La tierra de Lorca*

| ESPAÑOL | INGLÉS | FRANCÉS | ALEMÁN |
|---|---|---|---|
| [1] **presencia** | presence | présence | Anwesenheit |
| [2] **cumbre** | crowning | phare (oeuvre-phare) | Haupt- |
| [3] **gitano** | gypsy | gitan | Zigeuner |
| [4] **cueva** | cave | grotte | Höhle |

## *La Huerta de San Vicente*

| ESPAÑOL | INGLÉS | FRANCÉS | ALEMÁN |
|---|---|---|---|
| [1] **veranear** | to spend the summer | passer les vacances d'été | den Sommer verbringen |
| [2] **refugio** | refuge | refuge | Zufluchtsort |
| [3] **colcha** | bedspread | couvre-lit | Tagesdecke/Decke |
| [4] **ganchillo** | crochet | crochet | Häkel- |

| ESPAÑOL | INGLÉS | FRANCÉS | ALEMÁN |
|---------|--------|---------|--------|
| [5] **velar por** | to look after | veiller sur | sich kümmern um |
| [6] **donar** | to donate | faire don de | stiften |

## 2. El perro andaluz

| ESPAÑOL | INGLÉS | FRANCÉS | ALEMÁN |
|---------|--------|---------|--------|
| [1] **vinculado a** | linked with | lié à | eng verbunden mit |
| [2] **adentrarse en** | to immerse oneself in | approfondir | sich vertiefen in |
| [3] **mutuamente** | mutually | réciproquement | gegenseitig |
| [4] **anticlerical** | anti-clerical | anticlérical | kirchenfeindlich |
| [5] **raíces** | roots | racines | Wurzeln/Herkunft |
| [6] **Semana Santa** | Easter | Pâques | Osterwoche |
| [7] **es volverse loco de guapa** | drop-dead beautiful | belle à rendre fou | zum verrückt werden schön |
| [8] **vergüenza** | shame | honte | Schüchternheit |
| [9] **huésped** | guest | invité | Gast |
| [10] **huella** | mark | marque | Spur |
| [11] **pincel** | paintbrush | pinceau | Pinsel |
| [12] **sombra** | shadow | ombre | Schatten |
| [13] **maricón** | queer | pédé | schwul |
| [14] **esforzarse por** | do one's best to | s'efforcer de | sich bemühen |
| [15] **rechazo** | rejection | rejet | Abneigung |
| [16] **convaleciente** | convalescing | convalescent | genesend |
| [17] **inquietud** | unease | inquiétude | Unruhe |
| [18] **costumbrista** | (comedy) of manners | de genre | Sitten schildernd |
| [19] **sospecha** | suspicion | soupçon | Verdacht |
| [20] **reconciliarse** | to make up | se réconcilier | sich versöhnen |
| [21] **irresistible** | irresistible | irrésistible | unwiderstehlich |
| [22] **brotar** | to spring from | jaillir | hervorquellen |
| [23] **llama** | flame | flamme | Flamme |

## La Residencia de Estudiantes

| ESPAÑOL | INGLÉS | FRANCÉS | ALEMÁN |
|---------|--------|---------|--------|
| [1] **propicio** | conducive to | propice | geeignet |
| [2] **cruzarse con** | to bump into | croiser | begegnen |
| [3] **beca** | scholarship | bourse | Stipendium |

| ESPAÑOL | INGLÉS | FRANCÉS | ALEMÁN |
|---|---|---|---|

## Un perro andaluz

| | | | |
|---|---|---|---|
| [1] **pretender** | to set out to | chercher à | versuchen |
| [2] **hormiga** | ant | fourmi | Ameise |
| [3] **cuchilla** | razor blade | lame de rasoir | Messer |
| [4] **impactante** | impressive | choquant | beeindruckend |
| [5] **asistir** | to attend | assister | erscheinen |

## 3. El poeta

| | | | |
|---|---|---|---|
| [1] **destino** | fate | destin | Schicksal |
| [2] **asombroso** | astonishing | étonnant | erstaunlich |
| [3] **llanto** | weeping | pleurs | Weinen |
| [4] **sufrimiento** | suffering | souffrance | Leiden |
| [5] **superventas** | best-seller | best-seller | Bestseller |
| [6] **recitar** | to recite | réciter | rezitieren |
| [7] **defenderse** | to defend oneself | se défendre | sich verteidigen |
| [8] **rostro** | face | visage | Gesicht |
| [9] **(verso) par** | every other verse | vers paires | gerader Vers |
| [10] **herida** | wound | blessure | Verletzung |
| [11] **métrica** | (poetic) metre | métrique | Verslehre |
| [12] **fragua** | forge | forge | Schmiede |
| [13] **polisón** | bustle (clothing) | crinoline | Hüftenwulst |
| [14] **nardo** | nard/tuberose | nard | Narde |
| [15] **conmovido** | charged with emotion | ému | gerührt |
| [16] **lúbrico** | lewd | lubrique | lüstern |
| [17] **seno** | breast | sein | Busen |
| [18] **estaño** | metallic/tin | étain | Zinn |
| [19] **yunque** | anvil | enclume | Amboss |
| [20] **plateado** | silvery | argenté | silbern |
| [21] **arma blanca** | any sharp instrument used as a weapon | arme blanche | Stoßwaffe |
| [22] **barranco** | ravine | ravin | Schlucht |
| [23] **navaja** | knife | couteau | Messer/Klappmesser |
| [24] **relucir** | to glow | briller | glänzen |
| [25] **reyerta** | brawl | rixe | Streit |
| [26] **cobre** | copper | cuivre | Kupfer |
| [27] **ahumado** | smoky | fumé (de couleur foncée) | rauchfarben |

| ESPAÑOL | INGLÉS | FRANCÉS | ALEMÁN | 59 |
|---|---|---|---|---|
| [28] pecho | breast | sein | Brust | |
| [29] gemir | to whimper | gémir | wimmern | |
| [30] sin compaña | alone | seul | allein | |

## El flamenco en Lorca

| | | | | |
|---|---|---|---|---|
| [1] cariño | affection | tendresse | Zuneigung | |
| [2] pisar | to step | entrer dans | betreten | |
| [3] arriesgado | brave | risqué | gewagt | |

## Eran las cinco en punto de la tarde

| | | | | |
|---|---|---|---|---|
| [1] cornada | action of being gored by a bull | coup de corne | Hornstoß | |
| [2] sábana | sheet | drap | Laken | |
| [3] súbito | sudden | soudain | plötzlich | |
| [4] amistad | friendship | amitié | Freundschaft | |

## 4. La generación de los amigos

| | | | | |
|---|---|---|---|---|
| [1] centenario | centenary | centenaire | Hundertjahrfeier | |
| [2] sumarse (a) | to join | s'ajouter | sich anschließen | |
| [3] promesa | bright young thing | espoir | junges Talent | |
| [4] reconocimiento | recognition | reconnaissance | Anerkennung | |
| [5] fracaso | failure | échec | Scheitern | |
| [6] hervir | to seethe | bouillonner | wallen/sich regen | |
| [7] arboleda | wood-grove | bois | Baumallee | |
| [8] reprochar | to reproach | reprocher | vorwerfen | |
| [9] camaradería | comradeship | camaraderie | Kameradschaft | |
| [10] tipo | fellow | homme | Typ | |
| [11] fusilamiento | execution by firing squad | exécution | Erschießung | |
| [12] enlutado | in mourning | en deuil | in Trauer gekleidet | |
| [13] pérdida | loss | perte | Verlust | |
| [14] pastor | shepherd | berger | Hirt/Schäfer | |
| [15] estar ansioso por | keen to | impatient de | begierig sein auf | |
| [16] elogio | praise | éloge | Lob | |

| ESPAÑOL | INGLÉS | FRANCÉS | ALEMÁN |
| --- | --- | --- | --- |
| [17] **tomar el pelo (a alguien)** | to pull someone's leg | faire marcher | jemanden auf den Arm nehmen |
| [18] **niño bien** | little rich kid | fils à papa | junger Mann aus der Oberschicht |

## La Segunda República

| | | | |
| --- | --- | --- | --- |
| [1] **dimisión** | resignation | démission | Rücktritt |
| [2] **elecciones** | elections | élections | Wahlen |
| [3] **reforma agraria** | agrarian reform | réforme agraire | Wirtschaftsreform |
| [4] **tormentoso** | stormy | orageux | stürmisch |
| [5] **llevar a cabo** | to carry out | faire | durchführen |
| [6] **golpe de Estado** | coup d'etat | coup d'État | Staatsstreich |

## 5. Un poeta en Nueva York

| | | | |
| --- | --- | --- | --- |
| [1] **huida** | flight | fuite | Flucht |
| [2] **voz** | voice | voix | Stimme |
| [3] **encasillar** | to pigeonhole | cataloguer | einordnen |
| [4] **cadena** | chain | chaîne | Kette |
| [5] **rumbo a** | on his way to | en direction à | mit Kurs auf |
| [6] **útil** | useful | utile | nützlich |
| [7] **sonoro** | talkies | parlant | mit Ton |
| [8] **atrevimiento** | boldness | hardiesse | Dreistigkeit |
| [9] **onírico** | dream-like | onirique | traumhaft |
| [10] **retrato** | portrait | portrait | Schilderung |
| [11] **agitación** | movement | agitation | Unruhe |
| [12] **recuperar** | to regain | retrouver | wiedergewinnen |
| [13] **ambulante** | intinerant | ambulant | ambulant |

## El manuscrito

| | | | |
| --- | --- | --- | --- |
| [1] **manuscrito** | mansuscript | manuscrit | Manuskript |
| [2] **borrador** | draft | brouillon | schriftlicher Entwurf |
| [3] **tachón** | crossing-out | rature | Durchstrich |
| [4] **discrepar** | to disagree | diverger | verschiedener Meinung sein |
| [5] **poemario** | (a) volume of verse | recueil de poèmes | Gedichtband |
| [6] **cuidar** | to take care | prendre soin de | achten auf |

| ESPAÑOL | INGLÉS | FRANCÉS | ALEMÁN |
|---|---|---|---|

## 6. El teatro

| | ESPAÑOL | INGLÉS | FRANCÉS | ALEMÁN |
|---|---|---|---|---|
| [1] | enfrentarse a | to confront | affronter | gegenüber stehen |
| [2] | opresivo | oppressive | oppressif | intolerant |
| [3] | a la altura de | at the same level | au même niveau que | auf gleichem Niveau |
| [4] | despreciar | to look down on | mépriser | geringschätzen |
| [5] | maleficio | curse | maléfice | Verhexung |
| [6] | mariposa | butterfly | papillon | Schmetterling |
| [7] | bordar | to sew | broder | sticken |
| [8] | bandera | flag | drapeau | Fahne |
| [9] | retablo | altarpiece | retable | Altarretabel |
| [10] | desatado | unchained | libre | entfesselt |
| [11] | auto sacramental | eucharist | drame sur l'Eucharistie | einaktiges Mysterienspiel |
| [12] | culpa | blame | faute | Schuld |
| [13] | salvaje | wild | sauvage | wild |
| [14] | raptar | to kidnap | enlever | entführen |
| [15] | esterilidad | barrenness | stérilité | Unfruchtbarkeit |
| [16] | póstumo | posthumous | posthume | hinterlassen |
| [17] | mono | overalls | salopette | Overall/Arbeitsanzug |
| [18] | obrero | worker | ouvrier | Handwerker |
| [19] | esparto | cheap homespun cotton | alfa | Espartogras |
| [20] | titiritero | puppeteer | marionnettiste | Puppenspieler |

## Margarita Xirgu, la actriz

| | ESPAÑOL | INGLÉS | FRANCÉS | ALEMÁN |
|---|---|---|---|---|
| [1] | consagrarse | to make a name for oneself | obtenir la consécration | sich durchsetzen |
| [2] | valiente | brave | courageux | mutig |
| [3] | dolido | hurt | blessé | schmerzerfüllt |
| [4] | dar el pésame | to offer your condolences | présenter ses condoléances | sein Beileid bezeigen |
| [5] | ir(se) de gira | to go on tour | partir en tournée | auf Tournee gehen |

| ESPAÑOL | INGLÉS | FRANCÉS | ALEMÁN |
|---|---|---|---|

## 7. Más allá de la muerte del poeta

| | | | |
|---|---|---|---|
| [1] fosa común | common grave | fosse commune | Gemeinschaftsgrab |
| [2] asilo político | political asylum | asile politique | politisches Asyl |
| [3] afiliarse a | to join | s'affilier à | beitreten |
| [4] incluso | even | même | sogar |
| [5] ingenuo | naive | ingénu | naiv |
| [6] escondido | hidden | caché | versteckt |
| [7] asustar | to scare | faire peur | erschrecken |
| [8] esquirla | splinter | esquille | Knochensplitter |
| [9] excavación | excavation | excavation | Ausgrabung |
| [10] comprometerse a | to commit oneself to | s'engager à | sich verpflichten |
| [11] exhumación | exhumation | exhumation | Exhumierung |
| [12] borrar | to rub out | effacer | auslöschen |
| [13] madurez | maturity | maturité | Besonnenheit |
| [14] insigne | famous | célèbre | ausgezeichnet |
| [15] apetencia | appetite | envie | Verlangen |
| [16] gusto | taste | goût | Geschmack |

### La Guerra Civil española

| | | | |
|---|---|---|---|
| [1] sublevarse | to rebel against | se soulever | sich erheben |
| [2] proclamar(se) | to proclaim oneself | se proclamer | sich proklamieren |
| [3] juez | judge | juge | Richter |
| [4] querella | lawsuit | plainte | Klage |
| [5] suspensión | suspension | suspension | Amtsenthebung |

### La Ley de la Memoria Histórica

| | | | |
|---|---|---|---|
| [1] promover | to foster | promouvoir | fördern |
| [2] perseguir | to persecute | poursuivre | verfolgen |
| [3] indemnizar | to pay compensation | indemniser | entschädigen |
| [4] defunción | death | décès | Tod |

## Cómo trabajar con este libro

**Grandes Personajes** es una serie de biografías de personajes de la cultura del mundo hispanohablante. Cada libro está escrito en forma de reportaje y narra la vida de la persona desde su nacimiento hasta su muerte.

Para facilitar la lectura, al final de cada página hay un glosario en español con las palabras y expresiones más difíciles. Además, se incluyen varios recuadros que aportan información adicional sobre un tema relacionado con el capítulo al que acompañan. Al final del libro hay además un glosario en inglés, francés y alemán y notas culturales sobre algunos conceptos del mundo del español que aparecen en el texto.

El libro se complementa con una sección de actividades que tiene la siguiente estructura:

a) «Antes de leer». **Recomendamos realizar las actividades de esta sección antes de empezar a leer el texto**, ya que ayudarán a activar los conocimientos que tiene el lector sobre el tema y facilitarán la comprensión.

b) «Durante la lectura». Son **actividades destinadas a pautar la comprensión** de los diferentes capítulos y a ejercitar la comprensión auditiva mediante el trabajo con el CD.

c) «Después de leer». Se trata de propuestas variadas que **permiten poner en práctica la comprensión auditiva y de lectura, la expresión oral y escrita, la interacción oral y escrita y la mediación**. Tienen un carácter predominantemente abierto para que el propio lector (o el profesor que lee el libro con sus alumnos) pueda decidir cómo trabajar con ellas según sus necesidades. En muchas de ellas se propone un repaso al contenido del libro. En cada caso, **el lector puede decidir si vuelve a leer el fragmento en cuestión o prefiere escuchar la grabación del CD correspondiente**. Igualmente, puede decidir si hace las actividades por escrito o de forma oral, en interacción con otros hablantes.

d) «Léxico». Actividades para **la sistematización, la profundi-**
**zación y la ampliación del vocabulario**. Se tiene en cuenta
que cada hablante tiene unos intereses y un bagaje personal
específicos. Por eso se combinan actividades de respuesta
cerrada con actividades más abiertas.

e) «Cultura». Esta sección contiene **propuestas para profundizar**
**en los temas culturales** del libro.

f) La sección «Internet» propone **páginas web interesantes**
para seguir investigando.

g) Por último, se facilitan las **soluciones** de las actividades
de respuesta cerrada y propuestas de solución para algunas
actividades de carácter más abierto.

ANTES DE LEER

1. ¿Qué sabes sobre Federico García Lorca?

2. Mira las fotografías que aparecen en el libro. ¿Cómo crees que era? Lee los pies de foto. ¿Conoces a alguno de los personajes que están con él?

3. ¿Qué te sugiere el subtítulo *La valiente alegría*?

DURANTE LA LECTURA

Capítulos 1-3

4. Señala tres momentos fundamentales de la infancia y la juventud de Lorca y explica por qué lo fueron, en tu opinión.

5. ¿Qué te parecen la personalidad de Dalí y la de Buñuel? ¿Cómo describirías a cada uno?

6. Completa este mapa conceptual sobre la poesía de Lorca que se describe en
el capítulo 3:

**Capítulos 4 y 5**

7. Según la información del capítulo 4, ¿qué diferencias y semejanzas encuentras
entre Lorca y Hernández?

8. Este es un fragmento del poema *El rey de Harlem*, de *Poeta en Nueva York*.
¿Qué elementos de los que se mencionan en el capítulo 5 encuentras en él? Si es
necesario, busca las palabras que no conoces en un diccionario.

*Ellos son.*
*Ellos son los que beben el whisky de plata*
*junto a los volcanes*
*y tragan pedacitos de corazón*
*por las heladas montañas del oso.*

*Aquella noche el rey de Harlem,*
*con una durísima cuchara*
*arrancaba los ojos a los cocodrilos*
*y golpeaba el trasero de los monos.*
*Con una cuchara.*
*[…]*
*Es por el silencio sapientísimo*
*cuando los camareros y los cocineros y los que limpian con la lengua*
*las heridas de los millonarios*
*buscan al rey por las calles o en los ángulos del salitre.*

**Capítulos 6 y 7**

9. ¿Crees que la idea de La Barraca es buena o demasiado idealista? ¿Por qué?

10. De todas las obras de teatro de Lorca, ¿cuál te interesa más? ¿Por qué?

11. Describe con tus propias palabras la posición ideológica de Lorca. ¿Compartes alguna de sus ideas?

## DESPUÉS DE LEER

12. Ahora que ya sabes más sobre Lorca, ¿te interesa su obra? ¿Por qué?

13. Escoge cuatro de estos recuadros y escribe al lado de cada uno un breve texto con la información más importante. Luego, vuelve a escuchar el CD y complétalos con la información que has olvidado.

Pista 02. La tierra de Lorca
Pista 03. La Huerta de San Vicente
Pista 05. La Residencia de Estudiantes
Pista 06. Un perro andaluz
Pista 08. El flamenco en Lorca
Pista 09. Eran las cinco en punto de la tarde
Pista 11. La Segunda República
Pista 12. Un país sin poetas
Pista 14. El manuscrito
Pista 16. Margarita Xirgu, la actriz
Pista 18. La Guerra Civil española
Pista 19. La Ley de la Memoria Histórica

## LÉXICO

14. ¿Qué asocias con la palabra «poesía»? Completa este mapa conceptual. Ahora mira el resultado. ¿Tiene connotaciones positivas o negativas?

15. Una de las formas poéticas que practica Lorca es el romance: versos cortos con rima en los pares. Este es un fragmento del *Romance sonámbulo*. Intenta completar cada verso con la palabra que falta. Luego léelo. ¿Te parece que tiene ritmo y rima?

plata      ramas      baranda      mirarlas      gitana      montaña

*Verde que te quiero verde.*
*Verde viento. Verdes _____,*
*El barco sobre la mar*
*y el caballo en la _____.*
*Con la sombra en la cintura,*
*ella sueña en la _____,*

*verde carne, pelo verde,*
*con ojos de fría _____.*
*Verde que te quiero verde.*
*Bajo la luna _____.*
*Las cosas la están mirando*
*y ella no puede _____.*

## CULTURA

16. En el libro se habla de los poetas de la Generación del 27, uno de los grupos poéticos más importantes de la historia de España. Busca los nombres de los poetas e investiga sobre el grupo. Luego escribe un texto con la siguiente información:

> Características del grupo
> Representantes fundamentales
> Presentación de uno de sus representantes: vida, influencias artísticas, obras
  fundamentales, opinión personal

17. Ahora, a partir del texto anterior, prepara una breve presentación en tu idioma para contárselo a un amigo que no habla español.

18. ¿Cuáles son los principales grupos literarios de la primera mitad del siglo XX en tu país? ¿Hay alguno que te interese especialmente?

## INTERNET

19. Busca *Un perro andaluz* en Internet para ver la película. ¿Qué te parece? Escoge una escena que te resulte interesante o impactante y descríbela con detalle. ¿Por qué la has escogido?

## SOLUCIONES

6.

forma: romance, mezcla de métrica castellana y vanguardia.

temas: el destino trágico, la cultura popular, la crisis existencial, el dolor de los gitanos, el flamenco, el llanto.

símbolos: la luna (la muerte), el metal (la vida y la muerte del pueblo gitano), los peces (armas blancas), el caballo (la pasión salvaje).

obras: *Libro de poemas, Poema del cante jondo, Romancero gitano, Diván del Tamarit, Llanto por Ignacio Sánchez Mejías.*

7.

Los dos nacieron y pasaron su infancia en el campo, pero Lorca venía de una familia de clase alta, mientras que Hernández era de familia humilde. Los dos fueron a Madrid, pero Lorca se integró mejor en la Generación del 27 que Hernández. Los dos murieron como consecuencia de la Guerra Civil, pero Lorca murió asesinado y Hernández de tuberculosis en la cárcel.

8. (Propuesta de solución)

Surrealismo (*whisky* de plata, el rey de Harlem arrancaba los ojos a los cocodrilos y golpeaba el trasero a los monos con una cuchara), interés por la cultura y los ritmos de la población afroamericana, retrato de las diferencias sociales (los camareros y los cocineros limpian con la lengua las heridas de los millonarios).

15.

*Verde que te quiero verde.*
*Verde viento. Verdes ramas,*
*El barco sobre la mar*
*y el caballo en la montaña.*
*Con la sombra en la cintura,*
*ella sueña en la baranda,*

*verde carne, pelo verde,*
*con ojos de fría plata.*
*Verde que te quiero verde.*
*Bajo la luna gitana.*
*Las cosas la están mirando*
*y ella no puede mirarlas.*